L'AVENTURE DE COUCH-SURFER CHEZ MALIKI

Par **Nabolo** – www.nabolo.com

L'autre jour, paf, je rentre d'une énième expédition en Asie où j'ai perfectionné mon kung-fu en Chine et relancé ma carrière d'acteur à Bollywood, non sans m'aventurer au Cambodge, en Thaïlande, en Birmanie, etc. (comme je fais d'habitude : c'est normal pour un aventurier). Et là, pif, ne m'aperçois-je pas que je n'ai jamais visité la Bretagne ?! Ben si, je m'aperçois-je ! Et Maliki s'y trouve justement... Driiing !

— Salut, Mali ! Quoi de neuf ?

— Eh, Nabolo ! T'es rentré d'Inde ?! C'était comment ?

— É-blou-si-fiant ! Et toi, la Bretagne ? Haha. Non, je plaisante. Il te reste une place sur ton canapé ? Je me sentirais bien une petite session couch-surfing ce week-end... Enfin, "glissade-sur-canapé" je veux dire, "cette semaine-qui-finit". Je sais plus si tu speak english ?

— Euh... Le canapé ? T'es sûr ? Disons que c'est peut-être pas le meilleur endr...

— Mais non, t'inquiète ! J'ai dormi sur des cailloux non stérilisés au Tibet, alors no soucy.

En une seconde j'ai mon backpack ("sac-de-dos" – *I speak english, you know ?*) sur le back et je saute dans un covoiturage, direction chez Mali – qui m'intéresse plus que la Bretagne, j'avoue. Driiing ![1]

— Salut Nabolo, tu sais, j'ai réfléchi pour le canapé, je crois vraiment pas que...

— T'inquiète Mali, j'ai dormi à vingt mètres d'un serpent presque sauvage, en Malaisie, c'est pas tes ressorts usés qui m'impressionnent !

D'ailleurs j'ai déjà posé mes fesses et mon backpack ; sorti mon sac de couchage ; ma moustiquaire ; mon réchaud et deux barres de silex pour faire du feu[2]. On discute un moment, Mali et moi, je lui raconte mes histoires, elle les écoute (ce qui est suffisamment rare pour être mentionné).

— Tu sais, Mali, tu devrais m'accompagner un de ces quatre, sur la route, ça te ferait plein de trucs à dessiner après. Tu t'es jamais sentie attirée par l'Aventure ?

Un ange passe. Elle ne dit rien mais ses beaux yeux versicolores errent lentement dans l'infini des galaxies,

je le vois bien. Est-ce qu'elle hésite ?

— Bah, tu verras Nab', c'est pas l'aventure qui manque ici. Bonne nuit.

NUIT

J'ai... mal dormi. Et c'est peu dire ! Mais butin c'est quoi cet maison de fous ?! J'ai d'abord été réveillé par un hélicoptère qui a rasé les fenêtres de la maison et tout de suite après, une petite chinoise qui courait partout en marwalant[3] ses phrases ! J'arrivais plus à fermer l'œil quand j'ai vu-de-mes-yeux-vu, flottant dans l'air, juste au-dessous du plafond, des entités extra-terrestres avec des yeux de chats ! Courant me réfugier dans la cuisine, j'ai été attaqué aux jambes et à la tête par des bêtes sauvages et des plantes carnivores... et y avait un démon dans la cuisine ! Jeul'jure !! La tête dans le frigo, qui grondait et mugissait que ses cornes étaient "coincées dans le bac à bière" ! J'ai discrètement battu en retraite, vers le canapé, pour me planquer au fond de mon sac de couchage. C'est là que j'ai senti quelque chose de chaud qui rampait sur mon ventre... quelque chose qui s'est mis à vibrer, de plus en plus fort, de plus en plus fort ! J'ai sorti la tête pour tomber nez à nez avec deux énormes soucoupes vert fluorescent, me scrutant dans le noir comme la Mort scrute les âmes qu'elle s'apprête à faucher... Dans un ultime réflexe de survie, j'ai empoigné la bête pour la jeter loin, le plus looooooin possible ! Maliki ! J'en veux plus de ton canapé, Maliikiiiiiiiii !!!
Nabolo

PS : ne pas sous-estimer la dangerosité aventuresque de la Bretagne

1 – C'est une sonnerie de sonnette, cette fois.
2 – 11.95€ chez Mature & Découvert.
3 – "Marwaler" : v. Action de réduire l'intelligibilité de ses phrases à l'état de "maroilles", fromage bien connu du Nord de la France – l'orthographe du mot, différente de sa racine, est caractéristique du phénomène décrit.

ISBN version standard : 978-2-35910-289-5
ISBN version collector : 978-2-35910-290-1
Dépôt légal : septembre 2013
Imprimé par
L.E.G.O. S.p.A. (Italie)

Scénario, dessin et couleur : Maliki
Contact : contact@maliki.com
www.maliki.com

Maquette : Camille Pradère, Jonn

Un grand merci à tous ceux qui ont permis à cet album
de voir le jour. Becky, sans qui ce tome serait sorti en 2030.
Jonn, Camille, Doro, Blandine, Céline, Marion et Ankama Éditions
dont la patience à mon égard flirte avec le surnaturel.
Merci à tous mes amis auteurs qui m'ont fait l'amitié et
l'immense plaisir de m'offrir un petit bout d'eux dans ce tome.
Et mille mercis à tous les lecteurs présents dans ces pages,
en dédicace ou sur Internet, pour leur indéfectible soutien
et leur énergie positive !

CRISTALLISATION
D'UN TOME 6

Vous n'y croyiez plus ? À vrai dire, j'avais un petit doute aussi...
Deux ans, c'est le temps qu'il aura fallu à ce nouvel album pour se glisser sous vos doigts (très doux au demeurant), soit une année de plus que d'habitude. Alors pourquoi ? Vous ai-je abandonnés ? Me suis-je lassée de raconter ma vie dans des petites cases horriblement longues à réaliser ?

Maiiis non, rassurez-vous ! Je vous aime toujours ! J'ai juste... vécu. La vie n'est pas un long fleuve tranquille et la mienne ne fait pas exception. Je sais, c'est bizarre de se dire que les gens qui font les livres ont une vie. Quand j'étais petite, j'étais à des années-lumière d'imaginer que mon Super Picsou Géant était le fruit du travail d'humains comme moi, avec leurs joies, leurs peines, leurs PV et leurs gastros occasionnelles. Pour moi, le livre n'était qu'un produit de consommation qui apparaissait par magie, comme les jouets ou les bonbons. Maintenant que je suis DANS le livre, je réalise à quel point j'étais naïve.

Deux années m'ont donc survolée. Transpercée, devrais-je dire, car c'est rare que les années passent sans prendre le temps de vous larguer deux ou trois vacheries, quelques tapes amicales dans le dos, et ce petit crachin incessant de satisfactions et de contrariétés dont le subtil équilibre fait toute la différence entre une excellente journée et une bonne grosse journée de merde.

J'ai vécu, et c'est tant mieux, car qu'aurais-je donc à vous raconter dans ce livre, sinon ?

En tout cas, ça fait plaisir de vous revoir, et merci de m'avoir attendue, dans l'ombre ou sur mon blog, le forum, Facebook... Je ne dis pas ça parce que vous êtes mes lecteurs, mais vous êtes les meilleurs ;)

Bises et bonne lecture !

Mali

LE THÉORÈME DE LA PARESSE

Il existe UNE chose que les chats vénèrent plus qu'un tas infâme de pâtée au poisson.

Un rituel plus puissant que celui de gratter frénétiquement autour d'un tas de vomi tiède.

Un besoin plus impérieux que celui de se lécher à des endroits...

C'est DORMIR !

Et Fleya ADORE dormir, de tout son petit cœur de chat !

.....

WHA!

!!

TU DORMIRAS CETTE NUIT !!

C'est très cruel, oui, mais si je la laisse trop dormir pendant la journée, elle gratte toute la nuit à la porte de la chambre...

Ne vous méprenez pas, le VRAI monstre ici marche sur quatre pattes !

...

Parlons par exemple de l'endroit préféré de Fleya pour faire la sieste...

Phase 1 : Reconnaissance

Phase 2 : Invasion

!!

Phase 3 : Apaisement

LAP LAP

RRRR ♪

Phase 4...

AH !

Z

.....

Toutes les offrandes que j'ai pu faire à l'égard de cette petite créature se sont heurtées au mur de son ingratitude et de son mépris le plus profond...

En terme de boîte, seul trouve grâce à ses yeux le vieux carton ayant contenu un envoi de croquettes et de pâtée...

Du coup on ne peut pas le jeter...

...

Elle en fout partout...

URGENT

Les Belges appellent ce truc en polystyrène de la "frigolite".

FUN FACT

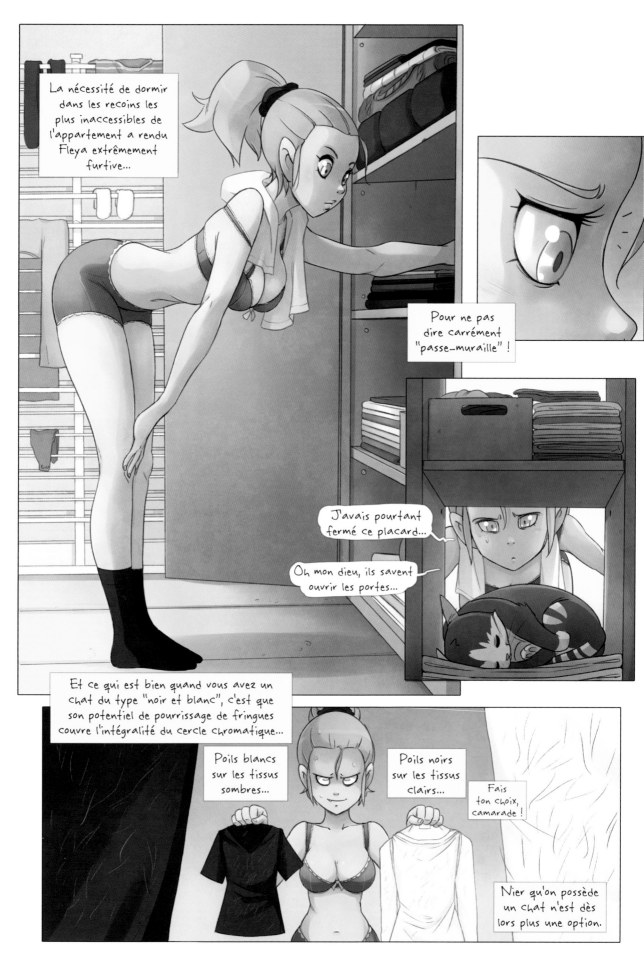

La nécessité de dormir dans les recoins les plus inaccessibles de l'appartement a rendu Fleya extrêmement furtive...

Pour ne pas dire carrément "passe-muraille" !

J'avais pourtant fermé ce placard...

Oh mon dieu, ils savent ouvrir les portes...

Et ce qui est bien quand vous avez un chat du type "noir et blanc", c'est que son potentiel de pourrissage de fringues couvre l'intégralité du cercle chromatique...

Poils blancs sur les tissus sombres...

Poils noirs sur les tissus clairs...

Fais ton choix, camarade !

Nier qu'on possède un chat n'est dès lors plus une option.

Là où le chat fait preuve d'un grand pragmatisme, c'est qu'il s'applique toujours à joindre l'utile à l'agréable.

C'est vrai, pourquoi simplement dormir, alors qu'on pourrait dormir ET emmerder le monde en même temps ?!

Imposer une présence dominante sur l'humain est un souci permanent chez le chat.

Mode dit "balancier"

Éloigne les mains de l'humain du clavier.

Possibilité de le faire basculer en arrière en option.

Mode dit "menace silencieuse"

Plus l'humain casse l'angle parfait de 90° de ses genoux, plus les griffes s'enfoncent dans la chair.

Excellent pour les abdos et les amateurs de stretching !

Mode dit du "fer à repasser"

Quoi de plus confortable qu'un matelas pâtissier entièrement composé de petits pains au chocolat ?

Ceux que l'humain a l'habitude de consommer au petit déjeuner...

Avant

Après

Devenu complètement imperméable.

Depuis que je travaille chez moi, je rejoue beaucoup de piano.

C'est super apaisant, et c'est bon pour l'inspiration.

Moins pour la productivité, mais bon...

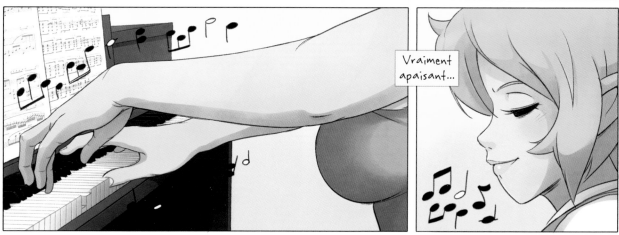

Vraiment apaisant...

En tout cas, les quatre premières secondes...

Car le piano exerce aussi une fascination instantanée sur Fleya !

NE DORS PAS SUR MES MAINS !!!

Ronronne comme une folle...

Le comportement des chats pose
donc une équation fondamentale
qui pourrait s'écrire :

$$[(TRÈS) \times GROSSE\ FEIGNASSE] + CHIEUSE^2 = ?$$

Non mais y sont forts...
Sont vraiment forts...

CHAPARDEUSE

Fleya est de ces chats très difficiles sur la nourriture.

Étrangement, c'est une tout autre histoire quand la nourriture n'est PAS donnée librement.

Le petit carnivore se transforme alors en omnivore frénétique sans aucun discernement.

Fëanor, lui, ne se fait pas prier...

NON !!

NON !!!

NON !!!!

Ho, hé ! C'est du CHILI CON CARNE ça, t'aimeras pas !

Ça arrache la gueule !!

NON !!

Frotte Frotte

...... !!!

VAPEURS ET GLAPISSEMENTS*

(* Avec la voix de Jean Rochefort, en faisant la liaison)

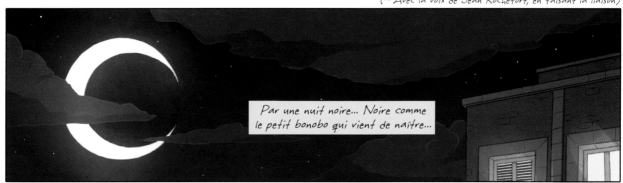

Par une nuit noire... Noire comme le petit bonobo qui vient de naître...

Les créatures de l'ombre vampirisent avec envie la lumière obsédante...

et l'insupportable vie qu'elle représente.

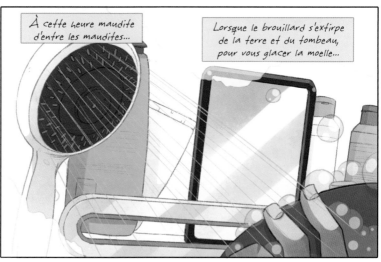

À cette heure maudite d'entre les maudites...

Lorsque le brouillard s'extirpe de la terre et du tombeau, pour vous glacer la moelle...

Les gens avisés se terrent au fond de leur couche, fermant les yeux en signe de soumission, pour accueillir l'obscurité avec raison.

Les imprudents, cependant...

NMNHN

HNHMÂGWÂÂWh

deviennent des proies !

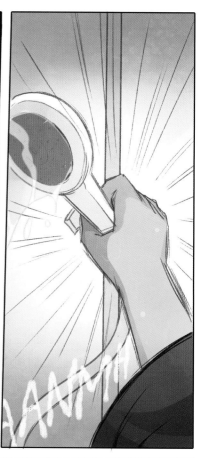

EH HO !

STOP !

MAIS ÇA VA PAS, T'ES COMPLÈTEMENT CINGLÉE, QU'EST-CE QUI T'PREND !!?

....

maow!

Par Davy – www.la-petite-mort.fr

Par Saïd Sassine – http://shineandcorps.blogspot.fr

Par Bambiii – www.destrucs.net

Par Raf - http://boulettechan.free.fr

CONTAGION

Aah, ben je sais pas vous, mais moi j'ai bien la pêche ce matin !

Les dédicaces s'espacent.

Je dors enfin normalement.

Je suis plus malade...

Même la paperasse est à jour, le courrier en retard, tout !

C'est presque bizarre...

C'est le moment de se remettre à bosser sérieusement !!

Je frétille tel le gardon, et rien ne peut plus me...

.....

?

...

M... même le néant quantique ne...

....

Artax ! Ne te laisse pas envahir par la mélancolie des marécages !

....

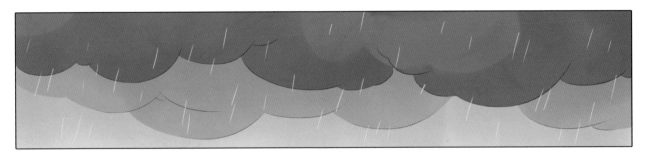

Le soir

De toute façon, c'était vraiment une journée de merde...

A joué toute la journée...

Hé ! Je suis triste, tu pourrais faire preuve d'empathie !

Les chats n'ont pas d'empathie, juste des sautes d'humeur inexpliquées...

LE VOYAGEUR DU PASSÉ

FUFU

Je reviens d'un festival là, et c'est cool, parce que pour une fois, je voyage dans un wagon de première classe !

Merci les organisateurs !

Non non, ce n'est pas un message caché pour les futures invitations...

J'adore faire 7H de train en seconde classe, sans prise de courant et avec une batterie de laptop qui dure 2h...

Très pratique pour bosser...

Tiens, c'est marrant les motifs des lignes sur les sièges ici...

ET HOP, DISPARITION !

Mon sweat et le revêtement des sièges de la SNCF seraient-ils fabriqués au même endroit ?

HIT THE ROAD

Hey ! GOOD NEWS !!

Pour la première fois en plus de 30 années d'existence, j'ai... une **VOITURE** !

Tadaaa !

Bravoooo, te voilà aujourd'hui un peu plus nuisible qu'hier !

Youhouu !!

Crétine !

Pourtant, je n'ai jamais trop aimé les voitures, ce qui est d'ailleurs très problématique pour s'intégrer quand on grandit en Picardie, terre des Jacky et du tuning par excellence.

Mon mec, il a juste fini de tuner sa **BMW zxTurboTT+** qu'il a pécho d'occaz. Genre tu vois, repeinte en mauve, **pot Ninja**, rabaissée à 5cm.

Et le caisson de basse qui fait tout le coffre. Quand il met **2 Unlimited** à donf devant la maison... PU-RÉE comment ça fait vibrer toutes les vitres, c'est de **la bombe atomique** !

C'est **d'enfer**, il pourra me faire montrer ? On sera à la teuf sur le **parking du Mammouth** ce soir avant d'aller en boite.

Ben ouais, **pas de blème** !

Et toi Mali, ton copain, il a quoi comme caisse !?

Euh, j'ai pas de copain. Mais j'aime bien les coccinelles, c'est marrant.

Et les 2CV et les 4L, ce sont les seules que j'arrive à identifier !

Haha...

Craignos... On va en perm' ?

...

Trop !

À 18 ans, j'ai quand même passé mon permis, dans la douleur.

NOOON !!!

NE ME DEMANDEZ PAS DE CHOISIIIIR !!!!

Bon, la vieille...

FAUX !!

- A j'écrase la poule
- B j'écrase la vieille
- C je meurs bêtement dans le fossé

Mais... mais ils disent pas l'âge de la poule, aussi !!!

Elle a peut-être plus longtemps à vivre que la vieille !!

.... !!!

J'ai obtenu laborieusement le code, surmontant toutes ses petites questions vicieuses au bout de 3 tentatives...

Et depuis je conduis en gros une fois par an pendant 2 semaines, quand je loue une voiture pour les vacances. Faut toujours un petit moment pour se remettre dans le bain...

....

Alors, les freins c'est ça, l'accélérateur c'est lui...

OK, ça revient !

La vérité, c'est que je n'ai jamais aimé les voitures. Les voitures sont des armes, et n'importe quel inconscient peut en posséder une, moi la première... Au final, le permis de conduire n'est rien d'autre qu'un permis de port d'armes.

J'ai un flingue !!

Gaffe !

J'AI UNE VOITURE !!!

VRR

Quand vous roulez, non seulement vous devez avoir confiance en vous et en votre capacité à esquiver les poules et les vieilles...

Mais vous devez également abandonner votre vie entre les mains des autres humains qui peuplent la route, et qui pourraient très bien vous transformer en tartare-ferraille par pure distraction ou espièglerie.

Au volant, vous êtes dans un état quantique.

Vivant et mort à la fois.

Finalement, conduire est un immense acte de foi envers tous nos congénères humains.

Ça serait probablement admirable si ça n'était pas aussi idiot...

Mais un jour, il faut bien reconnaître qu'on en a marre du métro, des transports en commun et de la ville, et que pour aller vivre dans un coin sympa, il faut pouvoir se déplacer.

Alors j'ai sauté le pas...

Je vais rejoindre les pollueurs !

Assumer mon statut de virus sur cette planète !

La question épineuse, bien sûr, c'est : "Qu'est-ce qu'on achète comme voiture quand on n'y connaît rien ?"

Bon, visiblement les coccinelles, les 2CV et les 4L ça n'existe plus, va falloir procéder intelligemment.

Utilisons la méthode **MASK** !

RECHERCHE DES MEILLEURS AGENTS POUR CETTE MISSION !

Hey miss !

J'ai une Yaris, moi, j'suis au volant justement !

Allô les copains ! Vous avez quoi comme voiture ??

On a une Toyota Yaris...

LES VOITURES, C'EST DE LA MEEERDE !

ACHÈTE UNE MOTO !!!

Symbiote a une Yaris, très bon qualité !

SYNTHÈSE DES AVIS EN COURS...

BIENVENUE !!

JE PEUX VOUS AIDER ?!

UN PETIT CAFÉ ?

frotte frotte

Bonjour, je voudrais une Yaris, j'ai vu l'annonce sur Leboncoin.

Celle-là !

... Euh d'accord, mais...

C'est vraiment une bonne voiture, vous savez, vous n'aurez pas de problème avec, entièrement révisée !

Cool, ben je la prends de toute façon.

Les... les pneus ont été changés, des Michelin, c'est bon, ça !!

Oui oui, je la prends.

Elle... elle n'a pas beaucoup de kilomètres, et en 4 portes c'est très rare à ce prix !!!

Oui ben je la prends.

La frustration du vendeur qui n'a rien à faire.

Au départ, la bête ne s'est pas laissé dompter facilement...

Tiens, c'est normal, ça ?

BOÏNG   BOÏN   BOÏNG   BONG

J'ai également connu quelques grands moments de solitude.

TUUUT TUTT HRRONK

Tu prends de l'essence ou pas !!?

Oui ou, ça va, hein !!

On se calme !

Pousse ta chiotte !

Femmes au volant...

TUUTU

Alors... ouvrir le réservoir d'essence...

Il est où, ce foutu bouton ?!

TU

C'est bon, C'EST BON !!

J'ai trouvé, c'était pas évident non plus, vous êtes marrants !!

Planquer ça sous le siège, c'est complètement con, aussi...

TUUT TUUU

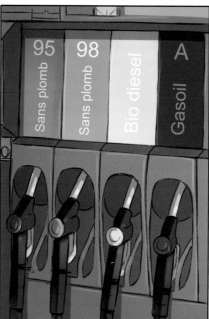

95 Sans plomb
98 Sans plomb
Bio diesel
A Gasoil

Euh...

TUUUTT TUUT

Allô Toyota assistance, comment puis-je vous aider ?

Bonjour, c'est pour savoir quel carburant je dois mettre dans ma Yaris ?

.....

Ben... vous avez un modèle essence ou diesel ?

Ah, bonne question !

....

Bon, vous avez votre carte grise ?

32

Bizarrement, depuis le temps que je ne m'intéresse pas aux voitures, j'imaginais que la technologie avait un peu évolué depuis 15 ans, mais en fait...

Oh oh... un lecteur de CD !

Et un ALLUME-CIGARE !!

J'avoue que graver des compil' sur CD AUDIO était une chose que je ne pensais plus jamais faire de ma vie... So vintage !

Gravé en 4x !

Ha ha oui, j'ai 70 MINUTES de musique là-dessus, d'enfer !

Par contre, je suis subjuguée de voir que l'allume-cigare est une sorte de panacée à tous mes problèmes de batterie !

C'est fou, avec cette petite prise ringarde, je peux recharger plein d'appareils modernes !

L'allume-cigare, en fait, c'était super visionnaire dans les années 80 !

Toyota assistance, comment puis-je vous aider ?

Bonjour ♪

Ah, encore vous...

Ma voiture ne démarre pas, je sais pas pourquoi !

......

Et bien que très pratique, c'est pas toujours forcément la solution la plus adaptée...

Mince mon portable est déchargé, quelqu'un aurait un chargeur USB ?

Non.

Ah non, désolée.

!!

MMMF, T... TIENS, B... BRANCHE-TOI SUR MA VOITURE !

KRAAK

LA NATURE EST SI BELLE

"Kikoo Maliki, j'aime bocoup té BD mais il yapa assé d'histoire avec lé chats snif !"

"Et ossi ke son devenu lé souris ke t'as attraper ?!!"

C'est signé "SakuraNeko".

Ma chère SakuraNeko, merci d'avoir sacrifié quelques neurones pour m'écrire.

Je t'enverrai ma note d'ophtalmo dédicacée ainsi qu'un Bescherelle !

La raison pour laquelle je ne vous ai pas reparlé des souris, c'est parce que cette mignonne petite histoire nimbée de tendresse a peu à peu viré au scénario d'épouvante...

Comme la Nature sait si bien les écrire !

Hé !!

Mais comme il y a des enfants ici, je ne peux décemment pas vous raconter ça...

Sauf si vous insistez...

Ouaiis !

Bon, d'accord !

Donc, pendant plusieurs semaines, j'ai attrapé des souris dans mes placards.

Hahaaa, encore une !

Étant l'amie des bêtes, je stockais les bestioles dans une immense cage et tout se passait bien.

Hooo, elles dorment en faisant une grosse boule !

Jusqu'au jour où j'ai attrapé ma dernière souris : la petite mal-aimée.

Tiens, elle n'est pas tout à fait comme les autres, celle-là...

Avait-elle une anomalie, ou peut-être qu'elle n'était pas du même "clan" que les autres... Toujours est-il que cette souris devint le petit souffre-douleur de la colonie, vivant seule dans la petite maison en plastique.

.....

Régulièrement, les autres souris descendaient pour la battre.

Je vais tabasser la p'tite triso, je reviens.

OK, j'irai plus tard, moi.

Naïvement, et parce que je n'y connaissais rien en souris, je me suis dit qu'il fallait peut-être un temps pour qu'elle soit acceptée. Il était tard, donc je suis allée me coucher.

Au matin, bonne surprise !

Oooh, ben t'es sortie de ta maison, ça va mieux ?

Toc toc !

Hé regarde par ici !!

!!!

Un souffle glacé me congela d'horreur quand je compris que ses petites camarades avaient rongé les yeux de la malheureuse pendant la nuit...

Leur aspect de peluche m'avait fait oublier à quel point le vivant peut être sordide et impitoyable. C'en était trop pour moi !

BON, STOP !

C'est horrible ! Je vais vous relâcher dehors immédiatement, et vous allez vous démerder pour manger, boire et vous entretuer comme vous voulez !!

Venez là, créatures de Satan !

Et comme le destin ne résiste jamais à une bonne blague...

!

CLAK

TAK

KAK

CLAK

......

AAAUUUGH

Au final, seules 3 de mes pensionnaires furent rattrapées. Même la souffre-douleur avait réussi à disparaître...

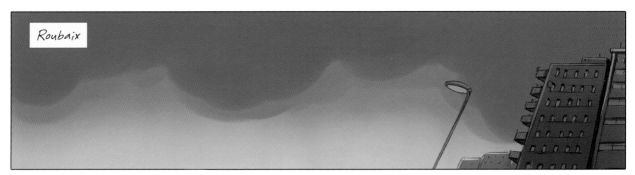

Roubaix

Allez, t'as voulu bien faire...

Mais tu fais de l'anthropomorphisme, c'est normal, t'es qu'une humaine, comment tu pourrais comprendre la vie...

....

Aucune souris ne revint...

Écoutez bien, les mioches !

La moitié de ma vie, j'ai vécu dans un monde minuscule, renfermé, avec des champs de force invisibles en forme de tuyaux qui nous empêchaient de sortir.

C'était un enfer confortable, plein de nourriture et d'eau, mais ça nous privait de tout ce qui faisait de nous des souris.

Peu à peu les gars ont commencé à péter un boulard. Ils s'en sont pris à moi parce que je vivais comme un marginal dans une cabane.

Toute leur frustration, toute leur haine étaient cristallisées sur moi, et tous les jours...

Papy, dis encore comment ils t'ont rongé les deux yeux !!!

Ho ! c'est moi qui raconte, ou bien !?

Atmosphère onirique et stellaire, voici la grande gagnante de notre concours !

·Station spatiale Freyja 31·
·Fang révise son cours de musique·

1re place : Chane
"Un peu de thé ?" – tabarycharlene.blogspot.fr

Voici les autres finalistes choisis par notre jury. Bravo à eux !

2ᵈᵉ place ex aequo : Moew.xa
"Création en folie" - moewxa.tumblr.com

2ᵈᵉ place ex aequo : Zenith-the-neet
"Maliki, The Game" - zenith-the-neet.cowblog.fr

4ᵉ place : Christouffe
Cross-over "Recto~Verso" - kricelo.fr

5ᵉ place : Chello
"... and justice for all." - chellolilol.blogspot.fr

Et pour terminer, voici un florilège d'autres jolies participations prisées par le jury.

Phisosohapi

Teva

Nynou

R'no

Mischiev

SuperFuret

Arcadiem

Noumenie

L'Hild

Mifflue

Miss Holly

Fei

Nanouk

Sumera

Hhlow

Hatch

EloWings

VirA

Kono

Aimety

CainHive

Jong Hyun Yim

Bangaio

Libou

Juliie

Charln

Cluette

Redwizardmo

Prédatorias

Dess

Mikami

Funeraille

Chaïn Saw

Forky

Natachouille

Sweeney Boo

Maureen

Méli

ABG

LoliAxel

Milena

Laury

Memlyn

Michiko

Solunreach

Mokiris

Shegoran

Margaux

Nausikaa

Myouki

Nicolas

DSloupa & Ita

MayVig

Corentin

DoodleRush

Niu-chan

Yuriko

À l'occasion de Japan Expo, j'avais organisé un concours de cosplay sur mon stand. Voici les gagnantes, bravo à elles pour leur prestation !

1re place : Mad et Mascotte
par Jeanne

2e place : Ladybird
par Laetitia

3e place : Maliki
par Charln

4e place : Fang
par Amélie

Nous avions également un **concours de dessin** sur le stand. C'est **Charln** qui remporte la victoire avec son cross-over FLCL, bravo !

En 2013, on a remis ça. Et surprise, Mad et Lady
sont de nouveau en tête du palmarès !

1re place : Mad
par Alice

2e place : Lady
par Léa

3e place : Maliki
par Mathilde

Ankou et Tan
par Aurore et Laureen

Une photo de groupe bien sympathique.
Allez, l'année prochaine, on vise 3 fois plus de monde ?

Fang et Maliki
par Jussy et Mélisande

ORPHELINES

Je m'en fiche de votre crise, on ne vendra pas à ce prix-là.

Découpez la société en plus petites entités et revendez-les au détail !

Oui. Eh bien tant pis pour eux, le personnel, ça se remplace, et c'est aussi valable pour vous en passant.

Bien, tenez-moi au courant.

Hem...

Euh... Excusez-moi, mademoiselle.

KOF KOF

Quoi ?

On vient de recevoir ça de la team RBX !

Des bonnes nouvelles j'espère !!

...

Je veux mon pilote sur le toit dans 10 minutes.

Qu'il fasse le plein.

B... Bien, mademoiselle !

Bon voyage, mademoiselle !!

Tu réalises que, au mieux, tu auras l'air d'un con ?

Et qu'au pire, tu vas te blesser grièvement ?

...

Je peux pas perdre. C'est une fille !

Je perds pas contre les filles, c'est mathématique !

...

Mathématique...

GO !!!

KRAK BLAM

.....

M... Mon coude a glissé, quelle andouille !!

HA HA HA HA

Du coup ça a retourné ma propre force contre moi...

Et comme j'suis super fort...

Sans vouloir faire celle qui s'y connaît, cet angle-là, il est pas dans le manuel...

Oh ça c'est rien, c'est juste un peu froissé !

Faut laisser à l'air, ça va sécher !

.....

Et toi, je t'ai demandé de faire attention quand tu côtoies des gens !

C'est fragile, les gens !

T'as gagné le droit d'aller lui acheter un anti-inflammatoire à la pharmacie.

Je vais essayer de lui remboîter tout ça en attendant.

Mate la souplesse !!

.....

Tiens, et oublie pas ton déguisement.

Et ma monnaie !

...

Bon, respire un grand coup, je vais tirer l'épaule, déjà.

Non mais c'est bon, c'est qu'une petite crampe, ça va dégonfl...

KROK

YAHAAA

...

Tu vois ! Comme neuf, déjà !

J'ai été un peu dure avec Lady. Elle veut juste s'amuser un peu avec nous, comme une fille normale...

Je vais m'excuser quand elle rentrera.

!?

!!

LADY !!

QU'EST-CE QUI S'EST PASSÉ !?

Y a deux bonshommes en l'air dehors !

Hein ?

.....

Elle...
Elle a perdu connaissance !

LADY, RENTRE ! FAUT TE SOIGNER !!

.....

Ça va aller ?

T'as l'air un peu pâlichonne...

.....

Pas...

assez...

graisse...

dois...

manger...

T'en fais pas !

T'as des lardons dans ton frigo ?

Je vais te faire ma spécialité, un bon bol de lardons frits à la crème, ça va te requinquer !

Oh, Seigneur...

ÇA
CRAINT
!!

Dis donc, ça craint toi-même. Je prends la peine de te faire la popote !

T'en reveux ou bien ?

Non, je dis "ça craint" pour Electro !

Elle est toute seule contre ces choses !

Eh ben ?

Au pire elle se prend une branlée aussi. Elle se rechargera et pis c'est bon.

GRAT GRAT

Eh c'est la cuillère à bouffe ça...

LA 30 AINE
Et toujours la frite !

Mais non c'est pas bon, c'est pas bon du tout !

T'as déjà vu Electro se recharger ? Elle a pas d'hôte dans lequel se réfugier !

Une fois je l'ai vue mettre ses doigts dans une prise...

Après elle sautait partout...

Oui, sauf que si elle se fait dérouiller loin de toute source d'électricité, je sais pas ce qui peut lui arriver !

Et j'ai pas envie de le savoir ! Viens, on va la chercher !

TOMP

TOMP

TOMP

OK

De toute façon ça avait refroidi...

Comment tu sais qu'elle est partie par là ?

Je sais pas...

Tu sais pas pourquoi tu sais où elle est, ou **tu sais pas où** elle est ?

Je sais pas où elle est !!

Ben alors je vois vraiment pas pourquoi on court... Si on va nulle part, ça sert à rien d'y aller vite...

...

C'est mauvais pour la digestion, en plus !

Hop là !

'ttention...

!?

Montez à l'arrière.

C'est qui ?

Pas mal, la charrette !

C'est... On est en train de...

Fang n'est pas là, elle est...

... à l'école, je sais.

Vous cherchez votre spécimen électrique.

Montez, j'y allais aussi.

Mais comment vous avez...

êtes au courant de...

C'est cosy ici !

Pourquoi...

Depuis quand... ?

Attachez-vous et calmez-vous.

Faites pas attention, c'est son double qui lui est rentré dedans après qu'il s'est fait tabasser.

Mais je l'ai bourrée de lardons, ça va aller !

... Si vous le dites.

Où vous...

Combien de temps on... ?

...

PROJET Cristallisation

Sujet test #0

.....!

PROJET Cristallisation

VOUS ?!!

Oooh Maliki, ça faisait longtemps !

Ho Ho

BAM

Où - est - Electro !?

E... Electro ?

...

Le spécimen électrique.

Vous l'avez ramené ici...

Ah oui, un fascinant sujet, plein de ressources, alors même qu'il n'a plus aucun lien physique avec son hôte.

Une gestation mystérieuse. Vraiment passionnant !

Tan et Ankou sont en train de procéder à quelques tests avec lui.

Des tests de quoi ?

Où ils sont ?

Vous leur avez donné des noms ?

Intéressant.

Mlle Maliki, Tan et Ankou sont des cristallisations mnésiques, comme votre Lady, ou celle que vous appelez Electro.

QUOI ?!!

Qui êtes-vous ?

Dans sa cellule, ce cher docteur Pilven a travaillé sur une théorie dont vous êtes le point de départ.

Il a décrypté les causes de votre état quand vous étiez en hôpital psychiatrique, et il est parvenu à les reproduire.

T'étais chez les fous !?

PFRRRR

Ah bah je comprends mieux maintenant !!

...

Pendant des années, j'ai cumulé les échecs.

Je cherchais le déclencheur, le catalyseur de la cristallisation.

C'est seulement en vous observant plus tard avec votre spécimen, et finalement votre "Electro", que j'ai compris que le lien émotionnel était la clé de tout.

...

L'émotion...

Évidemment qu'aucun scientifique n'avait pensé à cette variable.

HO HO HO

Si Lady a réussi à sortir de moi au lieu de me détruire de l'intérieur, c'est grâce à vous !

J'ai toujours repensé à vous comme mon sauveur malgré ce que vous m'avez fait endurer...

Et vous avez utilisé tout ça pour vous créer un double à vous !?

À moi ? Oh non, je n'aime pas trop les chats.

Mais les pensionnaires de cet orphelinat m'ont été d'une grande aide.

La réaction fonctionne beaucoup mieux avec les enfants !

Son protocole consiste à donner des chats aux jeunes enfants pour qu'ils s'y attachent. Puis il élimine l'animal dans l'espoir d'obtenir une cristallisation.

Les enfants sont drogués pour affaiblir leurs défenses émotionnelles et être contrôlés plus facilement.

Je crois que j'vais gerber...

Désolé d'insister, mais puis-je vous demander comment vous avez eu ces informations ?

Vous faites surveiller les gens que je surveille.

Ça crée des liens...

BROOM

Hum, votre spécimen a l'air réveillé.

Venez dehors si vous voulez, je dois observer le test.

Electro est dehors ?!

GO !

64

BAM

Ourf

ELECTRO !?

!!?

C'est des jumelles ?

Pas tout à fait, mais des sœurs oui, assurément.

ON S'EN FOUT SI C'EST DES JUMELLES OU PAS, RAPPELEZ-LES MAINTENANT !!

Elles ne sont pas agressives. En revanche, la vôtre semble prête à attaquer. Elle manifeste de la rancune, c'est fascinant.

C'était votre but. Confronter vos créations avec un original...

Ça fait partie du protocole scientifique, oui.

Mes créations sont entraînées, contrôlées et optimisées...

Et elles n'ont eu aucun mal à amener votre spécimen ici. Je ne suis pas inquiet.

... Vous envoyez Electro au casse-pipe pour un TEST ?!

ELECTRO ! BARRE-TOI !!

LADY VA BIEN, PAS LA PEINE DE PRENDRE DES RISQUES !!

ELECTRO !

NON !!

...

VAS-Y !
DANS LA GUEULE !
GAFFE !!

!?

Mmh...

...

!!

Ah ouais, elle a l'air balèze !

Elle peut lancer du feu ?!!

C'est impossible !!!

Pas plus impossible que de produire de l'électricité.

Le pouvoir de la cristallisation dépend des circonstances du décès de l'animal.

HO HO

La forme féline de Tan a été brûlée dans le jardin...

Dans un vieux sac.

!!!

MAIS VOUS ÊTES UN GROS TARÉ !!!!

LA VACHE !!

KRRR

Euh... La tue pas quand même !

L'autre en noir est partie...

...

BROMM

?

C'est quoi cette odeur ?

Ça sent la pharmacie...

SNF SNFF

LADY !?

Laissez-moi deviner, la forme féline d'Ankou a été éliminée à l'éther ?

Un pouvoir affaiblissant !

Ooh, très bonne déduction ! À l'éther, oui...

Dans un vieux sac !

À l'éther ?

LES FILLES !! TROUVEZ L'AUTRE EN NOIR !!

C'EST ELLE QUI VOUS ENDORT !!!

.....

Elle... Elle a déjà récupéré !?

HO HO HO

ÉCARTEZ-VOUS !

C'EST PAS RÉGLO ÇA !

C'EST NUL !

HOUUU !

Attends, je suis fort à cache-cache...

Elle... elle peut être n'importe où !!

...

Le test se termine, je pense...

HO HO

Plus que quelques...

Ah, ben elle n'est plus là...

AAAAAAAAAHHH

JE NE TOLÉRERAI PAS...

QU'ON SE BATTE À LA PUTE DEVANT MOI !!

QU'EST-CE QUE TU FAIS, ABRUTI ?!!

TU VAS TE FAIRE TUER !

AAAAAH!

...!!

HA HA HA HA HA

IL EN FAUT PLUS QUE ÇA POUR FAIRE DORMIR UN VRAI NORMAND !!

RRRÔN

SBAM
ZZZ

!?

ZZZ

!!

?

!!?

!!!

AYAAA....

ÇA SUFFIT !!!

ELLE A LADY !

!!

VOUS POUVEZ TOUT ARRÊTER !

RIEN NE VOUS OBLIGE À EN ARRIVER LÀ !!

...

Ah, les filles !

J'ai quelque chose pour vous.

...?

...?

...

C'est à vous, non ?

Voilà pour toi.

Miii !

....

Miiiii

Et celui-ci est à toi, je crois.

DES CLONES !!

VOUS AVEZ CLONÉ LES FORMES FÉLINES DE TAN ET ANKOU !!?

C'est ça de laisser traîner ses vieux sacs.

Docteur, je vais vous demander de venir avec moi.

Vous n'allez pas faire d'histoires, n'est-ce pas ?

Hein ? Oh, non, d'accord.

Je dois complètement revoir mon protocole de toute façon, ça ne va pas.

Bien.

FAUT L'EMMENER CHEZ LES FLICS ! FAUT L'ENFERMER, L'ATTACHER, LE SÉDATER !!!!

Ne vous inquiétez pas, Mlle Maliki, je sais PARFAITEMENT quoi faire de ce genre d'individu.

Par ici, Docteur.

Ah... bon d'accord.

Brr

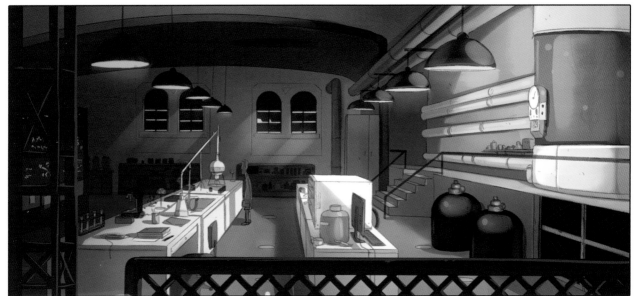

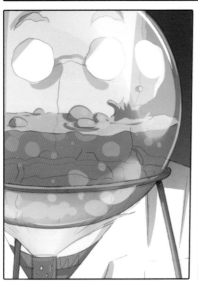

Mmh...

VOUS AVEZ DU NOUVEAU ?

Hmm ?

Ah. Je crains que ça soit compliqué. On ne peut pas simplement supprimer l'émotion de l'équation...

L'amour...

Ça ne se synthétise pas, vous comprenez ?

Rien n'est indispensable, on trouve toujours un substitut !

Cherchez encore. Les fonds ne seront pas un problème.

Bien...

Je vais approfondir la piste des neuropeptides, alors.

FIN

À L'OUEST

♪바람이 차가워지는 만큼 겨울은 가까워(오네요)오는데♪

♪조금씩 이 거리 그 위로 그대를 보내야했던♪

♪계절이 오네요♪ ♪지금 올해에 첫눈꽃을 바라보며 함께 있는♪

♪이 순간에 내 모든 걸 당신께 주고 싶어♪

T'en as pas marre toi... du Nord ?

Ah mais moi j'l'ai toujours dit...

Combien de temps ça fait... Allez, 5 ans ?

6 ans ?

En même temps, à Paris, on était pas tellement mieux...

... Ouais, c'est pas faux

...

......

Tiens...

L'autre jour j'ai maté un documentaire cool.

Ça parlait d'un gars qui a tout quitté pour faire du fromage dans les montagnes.

...

Ça te tente pas ?

Renouer avec la nature, tout ça ?

.....

Ou alors on pourrait essayer de monter une boîte !

On l'appellerait "Les Petits Pédestres" et...

Désolée je te coupe mais c'est plus possible, là !

?

Non pardon, ce que tu racontes est sûrement très intéressant...

Mais depuis le début du repas ça me...

Et je dois pas être la seule !

C'est quoi ce PUTAIN de bonnet ?!!

Hey, c'est bon !

J'ai pas besoin de TOUJOURS porter mon casque non plus...

Faut varier !

Mais tu le portes pour DORMIR, ton casque !

Tu l'as même porté aux obsèques de je-sais-plus-son-nom du boulot là !

C'est... C'est un cadeau !

Un cadeau... ?

......

NOOOOOOOON !!?

T'AS UNE COPINE !!

T'AS UNE COPINE !

QUI T'A OFFERT UN BONNET !!

P... POSSIBLE...

...

BWAHAHAHA FÉLICITATIONS, VIEUX !!

HEY CHEF !

GNÔLE À VOLONTÉ, LAISSEZ LA BOUTEILLE !

Oui, merci hein ! Merci !

HA HA HA HA HA

ALLEZ !! ON BOIT À QUOI !?

JE SAIS PAS... J'AI PU BIEN D'IDÉES...

HE HE HE

Bon, on devrait peut-être se rentrer alors !

Pourquoi tu m'as rien dit, vieux cachottier ?

Merci hein, merci !!

Comment tu voulais que j'te dise ça ?

RESTAURANT LE PEKIN
火京酒楼

Ben je sais pas...

Ouf, c'est pas mal l'air frais, on a un peu chargé la mule ce soir...

"Salut, ça va ? Au fait, j'ai une copine."

Mouais, c'est pas terrible comme effet d'annonce...

C'est bien pour toi en tout cas.

Je suis bien contente.

Mais sérieux moi j'en peux plus, c'est trop la déprime ici...

J'aurais une qualité de vie tellement meilleure à la campagne, dans un coin chouette, au calme, loin des gens...

Les chats commencent à vieillir, et ils ne savent même pas ce qu'est de l'herbe !

Et Fang... Tu verrais ce qu'elle me raconte de l'école...

Ben tu peux bosser de n'importe où, toi, du moment que t'as internet, pourquoi tu déménages pas ?

Franchement, je suis à deux doigts...

Faudrait pas grand-chose pour que ça déborde...

!?

CRÈVE !!!

!!!

SPLOCH

93

JE SUIS PAS D'ACCORD !!!

Ben... pourquoi ?

Y aura des écureuils...

JE M'EN FOUS DES ECUREUILS !!

JE VEUX RESTER ICI !!!

Oula, j'aimais mieux comme tu parlais avant...

Mais pourquoi tu veux rester là, je comprends pas ?

Tu dis toujours que ton école est nulle.

Tiens...

Tu portes une montre, toi, maintenant ?

Si je veux !

Ce... C'est une cadeau !!

...

... de Kévin, évidemment.

J'ai vraiment du caca dans les yeux, moi, en ce moment.

3 mois plus tard

Ouf !

...!!

!!

Les filles...

Bienvenue dans notre nouveau chez-nous !

Les cupcakes Maliki, par Nathalie

POUR 10 CUPCAKES

Pour la dacquoise aux amandes :
- 35g de farine
- 100g de poudre d'amande
- 120g de sucre glace
- 6 blancs d'œufs
- 60g de sucre semoule
- 10 fraises
- colorant rouge

Et pour le topping :
- 250g de mascarpone
- 20cl de crème liquide
- 1 sachet de sucre vanillé

Décoration : fraises, cerises et menthe

Préchauffez le four à 180°C.

Montez les blancs en neige à l'aide d'un batteur, en ajoutant le sucre semoule peu à peu.

Tamisez la farine, la poudre d'amande et le sucre glace à l'aide d'une fine passoire et ajoutez-les aux blancs en neige.

Mélangez à l'aide d'une cuillère en bois jusqu'à ce que la texture soit homogène. Ajoutez du colorant rouge.

Remplissez de pâte aux 2/3 les moules à muffins beurrés et farinés, ou pourvus d'une caissette.

Équeutez et lavez les fraises. Insérez-en une dans chaque moule.

Faites cuire pendant 12 minutes au four. À la sortie, laissez refroidir complètement et démoulez.

À l'aide d'un batteur, fouettez le mascarpone, la crème liquide et le sucre vanillé jusqu'à obtenir une crème chantilly.

Décorez vos cupcakes à l'aide d'une cuillère à soupe de chantilly ou mieux, d'une poche à douille avec une douille cannelée ! Décorez ensuite avec des morceaux de fraises, de cerises et de feuilles de menthe.

Astuce : Utilisez surtout de la crème liquide entière, la crème liquide allégée ne montera pas ! Pour un beau topping, le secret reste la poche à douille. Entraînez-vous sur votre plan de travail avant de les garnir. Pour la forme, je pense toujours à M. Caca dans Dr Slump...

Nathalie Nguyen
www.nathaliecuisine.fr

Par Dreamy – www.dreamy.fr

Vous pouvez me retrouver en compagnie de
Nathalie et Dreamy pour un petit crossover dans
"Nathalie Cookbook", chez Ankama Éditions !

RÉTROGAMINE

Depuis que je suis en Bretagne, je me suis mise à faire les brocantes et autres vide-greniers.

Il y en a partout dans les villages alentour avec le retour des "beaux" jours.

Je débarque à l'aube, quand il y a encore de la brume.

J'aime cette atmosphère, les gens qui s'affairent si tôt le matin...

Fébrile, je fais rapidement le tour des stands pas encore déballés...

...

Et je mesure l'incroyable passion humaine pour l'accumulation...

Qu'il s'agisse d'objets de décoration de bon goût...

(Et à paillettes, c'est important ça, les paillettes)

De vaisselle s'aventurant sans complexes au-delà de l'exubérance...

De dauphins déclinés à l'infini...

À combien tu le fais, le cadre avec le gamin qui pleure ?

Ou de poignants tableaux de maîtres...

Ces montagnes d'objets me fascinent toujours.

C'est presque du voyeurisme de pouvoir en apprendre autant sur la vie privée des gens juste en jetant un coup d'œil sur ce qu'ils ont amassé...

Tiens, le clebs a trouvé un nouveau maître !

Et ça soulève inévitablement un tas de questions...

Est-ce que ça PEUT vraiment faire plaisir à quelqu'un ?

OOOH ! COMME IL BRILLE DE MILLE FEUX !!!!!

MERCIIII !!!!

Et moi, qu'est-ce que je cherche ?

La même chose que beaucoup de gens ici : des souvenirs.

Mon truc en ce moment, ce sont les vieux jeux vidéo de mon enfance. J'ai entrepris de récupérer tous ceux que j'ai connus à l'époque...

Dans ma nouvelle maison, je me suis installé une pièce hors du temps avec des consoles de l'âge de pierre, un Amstrad de Mathusalem, des poufs mauves années 80 et des néons disco (et oui j'assume.).

Et de temps en temps, je me pose dans cette pièce et j'ai 10 ans à nouveau...

Les souvenirs affluent avec chaque musique, chaque écran de jeu...

'ttention !!!

C'est moi après !!

Moi !!!

AAH !

J'admets que ça m'intrigue, ce besoin qu'on a de retrouver des objets du passé, cette nostalgie qui semble tomber sur n'importe quel trentenaire à un moment ou à un autre.

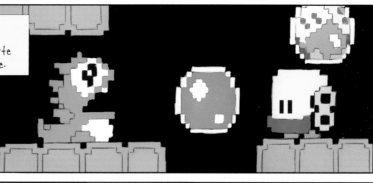

Pourtant je n'ai pas spécialement l'impression d'être dépassée par l'époque actuelle...

Mais c'est vrai que ça me rassure de retrouver un instant ce cocon d'enfance. Ces sensations d'une époque insouciante.

Je me demande si ce comportement existait déjà il y a 5 000 ans...

Mais mec, qu'est-ce que tu fous !?

T'es au courant qu'on fait des bazars en cuivre maintenant ?

LAISSEZ-MOI ! ÇA ME RAPPELLE MES PA-RENTS !!

Un vieux téléporteur T1000SX !!

Tu te rappelles ? Ça déglinguait l'ADN à l'arrivée à cause du bug dans l'intrication quantique des nucléotides, ha ha ha !

Et s'il existera encore dans 5 000 ans...

COSMO FOUINE

BONG BONG

AK AK AK AK AK

Ah oui, c'était le bon vieux temps, ho ho ho !!

On le prend ?

En attendant, c'est ma nostalgie du passé qui me fait prendre l'air au présent. Dans ce lieu où s'entremêlent plein de flux temporels. Ça ne peut pas être mauvais !

Même si la plupart du temps, on va pas se mentir, je rentre bredouille.

TAP TAP TAP

Et j'achète en bougonnant un vieux jeu au prix fort sur le net pour me défrustrer...

Bravo, vous avez acheté "Megaman" à un prix scandaleux !

Mais parfois, dans une vieille caisse poussiéreuse...

Le cœur qui s'accélère...

LA PERLE RARE !!

ZELDA 1 NES EN BOÎÎÎÎÎTE !!!

!?

!?

Hélas, il semblerait que je ne sois pas la seule passionnée du coin...

COMBIEN POUR ÇA !?

JE VOUS EN DONNE 10 !!

MOI 20 !!!

30 !!!!

40 !!!!

Bref, la nostalgie, y a rien de mieux pour se faire de nouveaux amis...

MAIS BAAAARRE-TOIIIII !!!

TOI BARRE-TOIIIII !!!

VIDE-GRENIER

Par Xa
http://xa_xa_xa.deviantart.com

LA BéDé DE MA Vie Toute PaRRIE !

Salut, c'est Fang !

Vous vous souviens ?
Voilà une nouvelle bédé de moi.

Ma nouvelle
casquette !

Maintenant je suis
vraiment pas
contente !

← Mignon!!

Maliki m'a forcé à déménager
de Roubaix même si j'avais dit
je voulais pas !

C'est VRAIMENT
égoïste non !??

AAAAAH

C'était le match la plus importante de l'année, on avait tous peur !

(C'est lui qui a cafté !)

(Il a déjà de la barbe ! Il a redoublé 2 fois !!)

Sauf Juan, le capitaine qui dit on peut gagner !

Mais les adversaires c'est
LES DIABLES DE TOURCOING !!

Ils sont hyper forts !!

Kévin avait pas l'air comme d'habitude.

J'avais peur on peut pas bien attaquer...

Si je dois partir alors je veux on gagne la finale !

Maudit Juan !!

Plus que 2 minutes, faut qu'on fait notre nouvelle technique d'accord !?

D'accord !

C'est notre dernière chance à tous les deux, oui ?

...

Je crois que j'ai pas bien dit ma phrase, j'ai senti il a hésite... et puis...

MA NOUVELLE VIE EN BRETAGNE

Retrouver la vie à la campagne après de longues années de vie en ville n'est pas un changement anodin.

Ouiiiii !

Eeek !

Que ce soit pour moi...

Büïïï

Ou pour ceux que j'ai traînés avec moi...

...

Que ce soit de gré...

ROULEROULEROULEROULEROULE

Ou hélas un peu "de force"...

Les chats sont les plus perturbés car ils n'ont jamais connu autre chose que la vie en appartement.

J'ai donc procédé par étapes.

En raison de la proximité d'une route pas loin (certes peu fréquentée mais pas sans danger), j'ai commencé par sortir Fleya en laisse.

Allez, bouge pas...

À ma grande surprise, pas de corrida endiablée ou de transformation en carpette. Elle n'a opposé aucune résistance à cette liberté surveillée.

Elle a peur de l'herbe sous ses pattes...

Même si cette liberté s'est retrouvée rapidement limitée par la longueur de la laisse et ses petits sauts de cabri.

Sans surprise, Fëanor a été beaucoup plus réticent à l'idée de se laisser entraver par une force invisible...

!!!

Il a donc fallu trouver une solution pour que ce petit être défectueux puisse tout de même profiter de l'extérieur.

TAK
TAK
TAK
T...

TAK

AÏE !

Quelques piquets, un filet à oiseaux et...

C'était hyper facile en fait !

.....

..... !

Voilà ! Un jardin entièrement clôturé pour laisser sortir les monstres l'esprit tranquille !

Tadaa !

Plus d'espace que vous n'en avez jamais eu de votre vie !

!!!!

!!!

BOÏNG

Fleya n'a pas vu la clôture immédiatement.

Ce qui l'a un peu refroidie...

C'est quasi transparent, en fait !

Mais bien vite, tout le monde s'est habitué à ce nouvel espace de vie.

Même si l'acclimatation a été plus facile pour certains...

Que pour d'autres...

Elle sort quand même, c'est déjà ça...

...

Certaines retournent même à l'état sauvage.

Electro a choisi de vivre de façon indépendante dans le chêne derrière la maison, près de sa copine. Elles peuvent se voir toute la journée.

Elle squatte souvent dans la maison le soir.

Et je dois dire qu'elle sait se rendre utile à la communauté !

Bravo ! C'était le dernier, je crois, on va pouvoir regarder notre série tranquilles !

DZAK

CLAP CLAP

10

What fucking asshole left this here?

It's "Special Agent Fucking Asshole"...

Par contre, qui dit jardin dit entretien. Et la citadine se retrouve bien démunie face à l'exubérance de la Nature.

Moi je laisserais comme ça...

Il a donc fallu investir dans des armes de désherbage massif...

HA HA HA HA HA HA HA HA HA

VRRRRRR

AAAAH

Tss !

Ainsi que dans l'indispensable tondeuse !

La mienne ressemble un peu à un jouet Kinder... Elle était vraiment pas chère...

MAIS BORDEL, POURTANT JE FAIS TOUT COMME IL FAUT...

Enfin je crois...

Valentin, maréchal-ferrant

Un souci, voisine ?

REUH TEUH

REUH..

Ah oui, il faut aussi que je vous parle de mes voisins !

La bougie, elle pète ?

Que dalle... pourtant elle est toute neuve.

Y a de l'huile ?

Ouais, plein.

Autant mes deux voisins d'immeuble à Roubaix n'étaient pas spécialement des rigolos...

En conditionnelle pour homicide

.....

V... Vous pourriez baisser un peu la musique ?

!!?

Poivrot qui vomit et s'endort sur mon pas de porte

RROON

Autant ici, c'est une tout autre ambiance et je découvre le plaisir simple mais si rare d'avoir des voisins sympas et serviables !

C'est bon de retrouver ce genre de rapport et de savoir qu'en cas de coup dur, on peut toujours compter sur quelqu'un (et se faire payer un café de temps en temps !).

Parfois même, on se demande comment on aurait fait sans eux...

Eh voisine, y a la porte de ta maison qui est ouverte et les chats qui reluquent dehors, c'est normal ?

Arg non, c'est pas normal ! J'ai dû mal fermer !! Et je pars pour 3 jours en dédicace, en plus.

Pas de soucis, je ferme, j'ai la clé, et je largue des croquettes aux chats au passage. Tu veux que je passe un coup de balai ?

Même son chien est sympa...

Pour un chien...

Moi je dis : c'est louche !

PAT PAT

Qui dit maison dit chauffage. Et pour le coup, ici, c'est du bois qu'il faut...

BEAUCOUP de bois.

...

Un souci, voisine !?

Alex
Charpentier - Menuisier

Ah oui, voici mon autre voisin immédiat, Alex. Il a aussi la particularité d'être mon proprio.

Attends j'te file un coup d'main !

En gros on est 3 maisons sur le même terrain.

Étang

Réparer la fuite d'eau, vous dites ? Ah, parce que vous vous lavez ? Ho ho ho !

SUPER CONNARD HO HO HO

L'isolation ? C'est pas au programme, non.

Le dégât des eaux sera payé sur votre caution.

Pour info, jusqu'à présent mes proprios, c'était plutôt ça...

Ça fait un certain contraste.

Ah mais scier un plan de travail ? PAS DE SOUCIS !!

PAS DE PROBLÈME je viens ce soir t'installer tes plaques !

Creuser le jardin pour faire un potager !? FAIS-TOI PLAIZ !

AAHLALA

C'est presque déconcertant en fait !

En bonne misanthrope méfiante, on se demande toujours où est le coup fourré...

PET PETPETPET PET PET

Eh voisine, si tu veux benner ton herbe derrière l'étang, je te prête ma remorque.

Tu veux les clés du 4x4 ?

PET PET PET PET PET

AAH

C'est TROP louche, j'vous dis !

A décidé de le faire à la main...

Non, le VRAI coup fourré se situe plutôt ici, près de la maison d'Alex. Mais ce n'est pas celui qu'on croit

Eh la voisine !

Elle prend un p'tit apéro ou quoi ?

Ah, ben oui allez, pourquoi pas !

Tu prends une bière ? Un Ricard ? un soda ? Un limonade ? Un rosé ? Un whisky ? Un Ram ? Un thé diabolo menthe café ?

Euh oui, ce que tu veux !

Marlène

Saluuut !

Hello !

Golden. Il veut des chips.

M. CARTON

51

Et puis d'un coup...

WOOOOOO

126

Bonsoir bonsoir !

Saluuut la compagnie !

Ça va bien !?

Mais oui, mais oui ! Assoyez-vous !!

Salut les gens !

Ah ben y a du monde ce soir !

Ça va ?

Ça va !

Alors, vous êtes venus baiser un coup avec nous ?

......

P... PARDON !!?

Je dis : vous êtes venus baiser un coup ou quoi ?

..... !!

Hé, ton verre est vide !

Baise donc un coup !

...

Ben oui, tu vas sécher !

AAAH !!

Mais ça veut dire "BOIRE UN COUP" !

C'est ça ?

Ben oui pourquoi ?

Je consigne ici cette singularité linguistique pour d'éventuels touristes. Ça pourra peut-être leur éviter une situation inconfortable...

Alors "baiser un coup" = boire un coup.

Un peu (?) plus tard...

Ouh, c'est qu'il a soif, le chienchien !!

Mais oui, il veut baiser un coup !

Et la console lumière qu'on a ne permet de gérer que 48 canaux sur les 60 qu'il faudrait pour gérer toutes les LED d'une seule barre d'oligo-éléments...

......

Alors les croquants, un p'tit digeo avec ça ?

C'est du sirop artisanal cuvée spéciale, vous m'en direz des nouvelles !!

GLING GLING

......

Allez, juste pour le goût !

PLIC   GLIP   BLIB

PAN   PAN   PAN

WOOOOOO

129

TOC
TOC

La Bretagne

À consommer avec modération...

Sérieux...

Allez, je suis sûre que vous voulez voir à quoi ressemble en vrai mon petit coin de paradis !

Voici quelques photos pour satisfaire votre curiosité !

Fleya découvre les plantes.

La terrasse à sieste !

Fëanor n'est pas encore très rassuré...

J'ai fait pousser des tournesols !!

Ma fleur préférée !!!

Dans MON jardin !

Un de ces jours, je vous parlerai de mon potager (c'est passionnant je sais !).

En attendant, Kenavo !

Mali13

Vous l'aurez deviné, les mondanités ne sont pas trop mon truc. Mon instinct de sauvageonne me poussant viscéralement à fuir les agrégats humains, quels qu'ils soient.

Y a de l'ambiance !

...

On va bien s'amuser !

Dans ma campagne, je suis plutôt tranquille. Mais dans mon métier, je suis de temps à autre fatalement amenée à fréquenter des "soirées".

Salut Mali ! Alors ça va depuis la dernière fois !?

Super et toi, toujours en train de faire des trucs cools ?

Eh merde, c'est qui lui déjà... ?

Cela dit, ce n'est pas forcément inintéressant, car c'est dans ce genre de réunion que j'aime à observer les comportements que nous, fiers humains, partageons avec nos frères animaux.

......

Ici la star des soirées, en terrain conquis.

Là le rusé prédateur, approchant une proie facile.

La bête affamée, profitant de l'abondance.

Les pitres de service, grisés d'avoir un public pour les remarquer.

HiiiiK

AAAAK

HAAK

Et bien sûr, le petit animal le plus représenté en soirée : le suricate, véritable sentinelle, concierge de la nuit !

À l'instar de ce petit animal qui se dresse dignement sur deux pattes pour surveiller les alentours de son terrier...

Les suricates de soirée scrutent intensément la foule, leurs petites têtes hagardes tournoyant comme autant de girouettes frénétiques et inquiètes.

Les petits fours arrivent !!

Eh mais ce serait pas André Rieux !?

Que fait cette personne ?!

Qui c'est ?!

Bien sûr, tout le monde suricate en soirée ! C'est normal, c'est dans nos gènes !

Mais le danger... C'est de se faire suricater en retour !

Car il est suprêmement embarrassant de se faire prendre en flagrant délit de suricatage, surtout par un autre suricate !

VOUS AVEZ ÉTÉ SURICATÉ.

.... !!

.... !!

YOU LOSE !

Seule solution pour briser ce sortilège de gêne inexpliquée, les deux suricates doivent détourner le regard en même temps, avec désinvolture.

Même si le cercle vicieux peut par la suite se poursuivre un moment...

Ben tu vois que t'aimes bien les soirées, en fait !

Tu t'amuses bien !

Tu n'as pas idée !

Par **Boulet** – www.bouletcorp.com

Par **Mylydy** – http://mylydyneo.blogspot.fr

Par **Bob**
www.bobvandijk.com

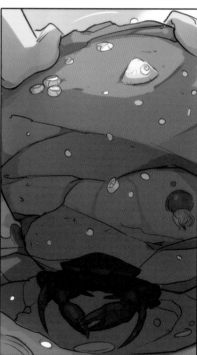

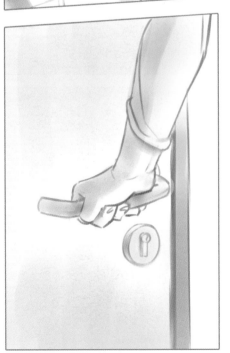

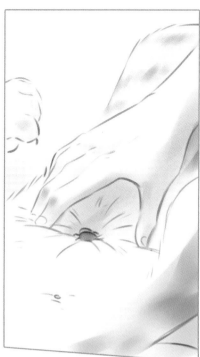
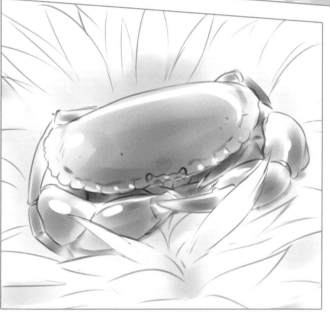